不一样的卡梅拉 12

★ ★ ★ ★ ★

我爱平底锅

[法]克利斯提昂·约里波瓦/文　[法]克利斯提昂·艾利施/图
郑迪蔚/译

二十一世纪出版社集团
21st Century Publishing Group | 南极熊

克利斯提昂·约里波瓦（Christian Jolibois）今年有352岁啦，他的妈妈是爱尔兰仙女，这可是个秘密哦。他可以不知疲倦地编出一串接一串异想天开的故事来。为了专心致志地写故事，他暂时把自己的“泰诺号”三桅船停靠在了勃艮第的一个小村庄旁边。并且，他还常常和猪、大树、玫瑰花和鸡在一块儿聊天。

克利斯提昂·艾利施（Christian Heinrich）像一只勤奋的小鸟，是个喜欢到处涂涂抹抹的水彩画家。他有一大把看起来很酷的秃头画笔，还带着自己小小的素描本去过许多没人知道的地方。他如今在斯特拉斯堡工作，整天幻想着去海边和鸬鹚聊天。

获奖记录：

2001 年法国瑟堡青少年图书大奖

2003 年法国高柯儿童文学大奖

2003 年法国乡村儿童文学大奖

2006 年法国阿弗尔儿童文学评审团奖

Édition originale: LES P'TITES POULES ET LA GRANDE CASSEROLE.
版权合同登记号 14-2013-080
Chinese simplified translation rights arranged with Chengdu ZhongRen Culture Communication Co.,Ltd,
本书中文版权通过成都中仁天地文化传播有限公司帮助获得。
赣版权登字 -04-2013-367

图书在版编目（CIP）数据

我爱平底锅 /（法）约里波瓦文；郑迪蔚译；（法）艾利施绘．—南昌：二十一世纪出版社集团，2013.6（2016.5 重印）
（不一样的卡梅拉）
ISBN 978-7-5391-8860-7

Ⅰ．①我… Ⅱ．①约… ②郑… ③艾…
Ⅲ．①儿童文学—图画故事—法国—现代
Ⅳ．① I565.85

中国版本图书馆 CIP 数据核字 (2013) 第 099597 号

我爱平底锅

作　者　（法）克利斯提昂·约里波瓦 / 文
（法）克利斯提昂·艾利施 / 图
译　者　郑迪蔚
策　划　张秋林
责任编辑　黄　震　陈静瑶　**美术编辑**　敖　翔
出版发行　二十一世纪出版社集团 | 阿积熊
（www.21cccc.com　cc21@163.net）
出 版 人　张秋林
印　刷　江西华奥印务有限责任公司
版　次　2013 年 6 月第 1 版　2016 年 5 月第 27 次印刷
开　本　800mm × 1250mm　1/32　**印　张**　1.5
书　号　ISBN 978-7-5391-8860-7
定　价　10.00 元

本社地址：江西省南昌市子安路 75 号　330009（如发现印装质量问题，请寄本社图书发行公司调换 0791-86512056）

给大狼露露，小狼佳佳和诺诺特，爱吃甜食的小家伙们。

——克利斯提昂·约里波瓦

给弗朗索瓦，贪吃的小家伙，酷爱奶油千层糕。

——克利斯提昂·艾利施

夜幕降临，鸡舍里可热闹了。小鸡们毫无睡意，全都围坐在皮迪克的身边，听他讲星星的故事。

“快看！孩子们！”皮迪克指着天上的星星说，“在我们正前方的星座，像不像一只雄赳赳的大公鸡，再看它闪闪发光的爪子，就像镶满了钻石的尖刀，随时准备与敌人一决高下。这个星座负责驱赶黑夜、迎接太阳……”

“哇！好棒哦！”小鸡们兴奋地数着星星。

“来，大家再看那儿，在农场主住的方向，有颗非常亮的星星……那是公鸡星——属于我们的星星。”

“真美啊！”贝里奥、卡门和卡梅利多感叹道。

“当这颗星星出现的时候，就预示着冬天即将来临。同时，也表示我们将举办一场大型的节日庆典，周围所有的亲戚都会赶来参加，冬至日就在明天！”

哦！我们要过节啦！

公鸡星万岁！！

“爸爸，你看！那个长得像平底锅的星座，出现在我们鸡舍的上方，它预示着什么？”卡门问皮迪克。

“这个简单，我来回答，”鸬鹚佩罗非常肯定地抢着说，“预示着一场大灾难即将降临鸡舍，到那时，大家都会死，无一幸免。”

佩罗的末日预言，顿时在鸡舍里炸开了窝。悲伤、恐慌的情绪笼罩着大家。

啊！为什么？
我不想死！谁能救救我们？！

“太过分了，佩罗，你的玩笑开大了！”卡梅拉生气地说，“瞧把小鸡们吓得，晚上会做噩梦的。”

“好啦，大家都回窝里去！”皮迪克命令道，“明天我们还要早起，去森林准备节日大餐的食物，捡榛子、拾种子、剥松仁……有太多的事情要做了。”

但是小胖墩、小刺头和大嗓门并没有回窝，他们被这个“平底锅”的预言吓坏了。

“我不要死在平底锅里！”小刺头号啕大哭。

小胖墩倒是比较冷静，他想出了一个主意：“不想被平底锅给炖了，唯一的办法就是把农场主的锅偷走。”

天空下起了雪，片片雪花瞬间将大地笼罩在白茫茫的纱帐之中。

三个勇敢的小家伙偷偷溜进了农场主的厨房，尽管他们谁都不愿意承认自己快紧张死了，小心脏扑通扑通地乱跳，真怕把屋里的人吵醒了……

“我拿到了，伙计们！”小胖墩小声地说，“现在我们怎么处理这口锅？”

大嗓门咯咯地坏笑：“不如让河对岸磨坊里，那条讨厌又可恶的大狗替我们看着锅吧，一定很有趣！”

就在小胖墩一伙悄悄朝磨坊进发的时候，鸡舍里，一声撕心裂肺的呼喊打破了夜晚的宁静。

“出什么事了？贝里奥？”卡梅利多关切地问。

“啊，我做了一个非常可怕的噩梦！我梦见一个巨大的平底锅……把你和我……还有其他的小鸡们……都给……哦，我不想说了，那情景太可怕了……”

“好了，好了，都过去了……睡觉吧，贝里奥。”卡门轻轻地拍着他。

“我需要吃块奇普牌奶酪，这样我才能入睡……”

这时，小胖墩一伙已经抵达目的地，他们扛着偷来的平底锅，爬到磨坊的屋顶上，一切都照计划进行着。

“嘿嘿，谁也甭想再找到这口锅了，更甭想把我们吃掉……”

“下去吧！麻烦解决了！”

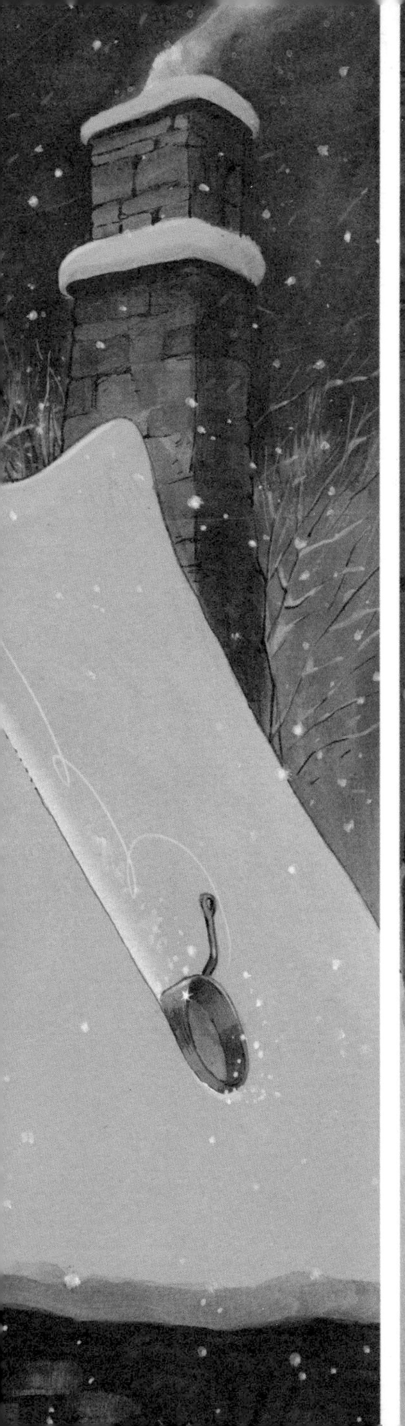

汪！
咣当！

几小时后，天还没有亮，夜色笼罩着鸡舍。

即使对习惯了早起的小鸡们来说，也显得有点儿早，他们纷纷从窝里爬起来，因为今天是个令人兴奋的大日子，他们要跟爸爸妈妈去森林里采集各种食物，为今晚的节日大餐作准备。

“谁还没有拿萤火虫？”

“谁还没点小灯笼？快点把萤火虫放进去。”

小鸡们排成队，唱着歌，跟着爸爸妈妈，穿过田野，朝森林里走去。

“我们是勇敢的小鸡，没人能比得上，
所有的困难都来吧，让我们去打败。
我们是勤劳的小鸡，到森林去采食，
捡了栗子丢了榛子，你说亏不亏呀。”

小鸡们像拾穗者一样在地上捡着麦粒、高粱、榛子、松子，还有结了霜的苹果。

但是，无论小鸡们怎么努力地寻找食物，收获都不是很理想。

“啊！原来野猪部队已经在我们之前扫荡过这里了，”皮迪克气愤地说，“所以我们只能捡到些残渣剩饭。”

不远处，贝里奥惊奇地发现地上散落着红色的浆果，这可是他最爱吃的甜点了。

“太好了，谁也没看见，这些浆果都归我吃，吃完谁也不告诉。”贝里奥开心地埋头吃起来。

贝里奥吃撑了，刚一直起腰，吓得大叫起来：

“啊！我不是在做噩梦吧！”

“大家快逃啊！怪物，驼背怪物！”

小鸡们顺着贝里奥指的方向一看，顿时吓得腿直哆嗦，膝盖碰在一起咯噔咯噔作响。

卡梅利多鼓起勇气举着灯笼向前一照……哇！这个怪物真是丑……不一般的丑！

“他为什么被绑在树上？”

“看他的牙！”大嗓门惊叫起来，“满嘴的蛀牙，一定是个贪吃的小孩！”

“快看！他在流口水……”

“是麻风病！”小刺头差点晕过去了。

“麻风病！麻风病！我们都会被传染的！”

皮迪克感到自己必须用沉着有力的声音让小家伙们镇定下来："安静！别闹腾了！难道你们踩着电门了吗？这位先生是位与世无争的商人！"

"卡梅利多，帮我一把，解开绳子。哦，可怜的先生。"

这位流动商贩戴着一顶可笑的大帽子，他非常感谢小鸡们，自我介绍道："我叫巴格迪，从中东来，一个很远很远的地方，我走了很多很多天才到这里。"

"那你为什么要离开家到这么远的地方来？"卡门困惑地问。

"每年这个时候，我都会给这里的一位老客户带些货物，她是一位老太太，长着长长的红发的，住在森林深处的小木屋里……"

“偏偏这次，我的天哪，真是倒霉透了。我遇到了强盗，把我身上最值钱的货物都抢走了。”

“巴格迪先生，”皮迪克好心说，“看您冻得直发抖，请到我们的寒舍暖和暖和，吃点东西恢复一下体力吧。”

“今天晚上我们有盛大的节日庆典！和我们一起来庆祝吧！”卡梅利多兴奋地补充道。

回到鸡舍，大家把在森林里采集到的所有食物都拿出来堆放在一起。失望的情绪顿时在屋内蔓延开来。

“太可怜了！”小刺头喃喃地说，“费了那么大的劲，才弄到这么点东西。”

“你们就捡了两个榛子和三颗松子！开什么玩笑，哪儿来的大餐啊！”小胖墩嘟囔着。

“可今天晚上，卡罗索舅舅和他的老婆、孩子都会到我们这儿来……”小刺头提醒道。

“如果就给他们吃这些，那也太寒碜了吧……”

“这还没算那个外国人的饭量呢，他肯定有我们四个的饭量大！”大嗓门做了个鬼脸。

巴格迪根本没把大嗓门的话放在心上：“朋友们，今晚的庆典，我有一个救场的办法……”

巴格迪小心翼翼地取下头巾。

“那帮强盗抢走了我所有的货物。幸好，他们没发现我最后保留的这点财产。你们看！”

卡门惊叹地问：“这就是佩罗讲的梦神的故事里，让人打瞌睡的‘梦之沙’吗？”

骆驼巴格迪弯下腰对小鸡们轻声说："这可不会让人打瞌睡，这是上等美味！你们将会体验到前所未有的愉悦！来，尝尝！"

这些从未见过的白色颗粒，亮晶晶地闪烁着光芒。小鸡们有点犹豫，想起了爸爸妈妈一再告诫：不要吃陌生人的食物！

只有小胖墩毫不在乎，抓起一把就扔进嘴里。

“哇！太好吃了！”这些神秘的白色小颗粒，让小胖墩在地上欢快地打起滚。

小鸡们再也不犹豫了，争先恐后地去拿。

“嗯，太美味了！真好吃！简直绝了！”

“这是我长这么大吃过的最好吃的东西了！”卡梅利多沉醉在美妙的甜味中。

“可别小看这小小的一粒，这是经过提炼的糖！”骆驼巴格迪解释说，“它能带来幸福和甜蜜，缓解悲伤，扫除忧愁。只需要吃上一口，无论年纪大小，都会露出满足的笑容。”

“难怪你们那儿的人都长了张笑脸！”卡门感叹道。

“你们救了我的命，还给我住的地方，”骆驼激动地边说边坐在了头巾上，“作为报答，我要教你们用糖来烹饪美味的阿拉伯蛋糕。就像变魔术一样，你们将见识到这一粒粒的小东西是怎么创造出绝佳的口感，变成蛋糕的，特别是创造出蛋糕中的极品——**‘宝塔蛋糕’**！”

“比糖更好吃的是蛋糕！”小鸡们举着小灯笼欢呼起来。

“巴格迪，变魔术！巴格迪，做蛋糕！”

“没问题，首先我需要一口平底锅……”

“我的天哪！”卡梅利多喊道，“他说需要一口平底锅！你们听到了吗？伙计们！”

“我知道哪儿能找到平底锅，”卡门打开门就要出去，“它就在农场主的厨房里，靠近壁炉的那面墙上挂着呢，我们去把锅拿过来！”

“等一下，等一下！平底锅不在厨房里了！”小刺头追出去叫住卡门。

“是真的。”小胖墩十分别扭地承认道。

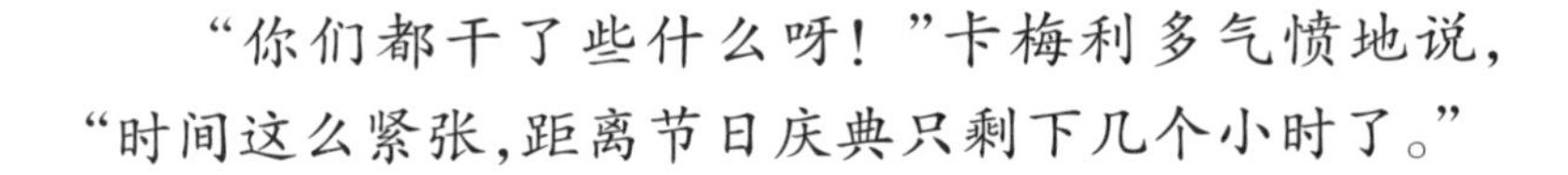

“你们都干了些什么呀！”卡梅利多气愤地说，“时间这么紧张，距离节日庆典只剩下几个小时了。”

“你们把锅藏哪儿了？快说！”卡门喊道。

“我们把它扔到河对岸的奇普磨坊里了。”大嗓门支支吾吾地回答。

“我认识路。”贝里奥自告奋勇，“那个磨坊里有我最喜欢吃的奶酪，我带你们去。”

“他们不要命了！”

“我们忘了说……天哪！糟糕！他们会被生吞的！”

三个小伙伴在雪地里走了很久，贝里奥指着前方兴奋地喊道："快到了！路尽头的那座房子就是！"

"我看见平底锅了，就在门口，手到擒来，简直跟玩儿似的。"

卡梅利多走在前面制订行动计划："跟我来，脚步轻点，别被磨坊主发现。"

汪汪汪汪汪！

“不许碰我妹妹！”卡梅利多准备和恶狗决斗。

面对险境，卡门总能保持冷静，她冲着凶恶的看门狗大喊：**“来！尝尝这个！我的乖宝贝！”**

“怎么样？好吃吧，你喜欢是不是？”

“还想再来一颗糖吗？嗯，没问题，这是奖励乖狗狗的！”

“贝里奥，你躲到哪儿去了？这条大乖狗同意把我们送回鸡舍！”

“寻找平底锅行动”首战告捷！

卡梅利多站在平底锅里，就像太阳神阿波罗驾驶着太阳战车在天空中驰骋那样，吆喝着前面奔跑的大猎狗：

“快跑！大狗！跑得再快点！”

三个小伙伴坐在平底锅里，在广袤的雪地上飞驰，转眼就穿过冰面，到了河对岸的森林里。

丁零!

突然，在森林深处，一幅神奇的画面展现在他们眼前……可惜，小鸡们没有时间停留，他们必须尽快赶回鸡舍。

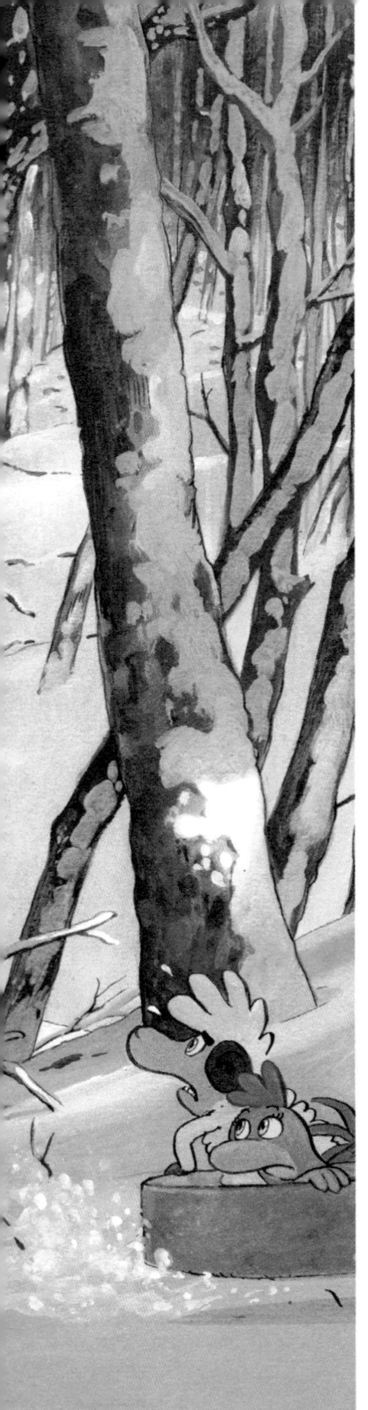

好吃的甜点！

巴格迪已经在炉子边忙活好几个小时了，他就像蛋糕店里的大师傅，放心地让小学徒们围在炉子旁帮忙，时不时还给他们点小奖励。

“卡梅利多，给我拿点你们在森林里采集的松子、榛子和麦粒！”

“是，师傅！”

“卡门、小凯丽，你们去附近的果园里，捡些地上散落的水果。”

“是，师傅！”

在骆驼巴格迪不断地搅拌下，糖汁渐渐变成了琥珀色的焦糖，散发着浓郁的焦糖香味。

忙碌的小鸡们在锅边来回穿梭，分工明确：有的敲核桃，有的给黄杏去核，有的把大枣绞碎，有的削苹果，有的捣碎果仁，有的剥松仁，有的筛选麦粒，有的搅拌果酱……

当初见到这位戴着大头巾的怪人时的恐惧，早已被小鸡们忘到脑后了。

大猎狗一阵风似的从鸡舍旁飞奔而过，糖块的诱惑实在太大了。

夜晚降临，第一批客人到来了。

“卡罗索舅舅，你看，天上怎么有口平底锅？”小鸡问。

“平底锅？什么平底锅？我什么锅也没看见！”

“朋友们，靠近些！快来品尝我们的作品，有焦糖蚯蚓、红蚂蚁棒棒糖、卡门牌糖煮杏仁、糖汁小苍蝇、卡梅利多牌水果糖、焦糖蚜虫玛奇朵、蜗牛甜酒……还有各种美食……”

节日庆典开始！

欢乐的时刻将永远铭刻在小鸡们的记忆里，一个属于我们公鸡星的节日。

一百年以后，我们还会记得今天。我将对你说，是巴格迪带给我们这样一场精彩绝伦的聚会。

小鸡们非常感谢骆驼巴格迪，这位从遥远东方长途跋涉而来的商人。

“如果没有你，我们这辈子也不可能吃到这么美味的甜点！”

“我的天哪，这世界要是没有糖，简直就是地狱！”

节日庆典接近尾声的时候，突然从屋里传出一声长长的哀号。

“啊，我的牙好痛！”巴格迪捂着嘴呻吟，“我忘了告诉你们，孩子们，糖虽然好吃，但绝不能多吃，否则会长蛀牙的！”

哈哈哈，我们才不在乎呢，因为我们没有牙！